For Pat

Publisher: Anna McQuinn, Art Director: Tim Foster

Eagrán Gaeilge 1999 Zero to Ten Ltd
46, Chalvey Road East, Slough, Berkshire SL1 2LR

A CIP catalogue record for this book is available from the British Library.

ISBN 1-84089-123-8

Printed in Hong Kong

Lá Fliuch

Scríofa ag
Hannah Roche

Léirithe ag
Pierre Pratt

Téacs i nGaeilge
Traolach Mac Cuinn

Féach!

Tá braonacha báistí

ar mo fhuinneog.

Tá sé fliuch!

Deir Mamaí nach féidir liom dul amach, mar sin tháinig Sive anall agus táimid ag péinteáil le'n ár méaranna.

Is féidir le Sive bláthanna an-álainn a dhéanamh. Tá grian agus eitleán déanta agamsa. Bhí an spraoi againn!

**Tá ar Mhamaí dul
ag siopadóireacht
agus táimid ag cur
cótaí agus wellies orainn.**

Is maith liomsa féachaint isteach
'sna loigíní uisce ach glaonn Mamaí,
"Brostaig! Déan deifir!"
Ní maith léi an bháisteach.
Dar liomsa, tá báisteach go hiontach!

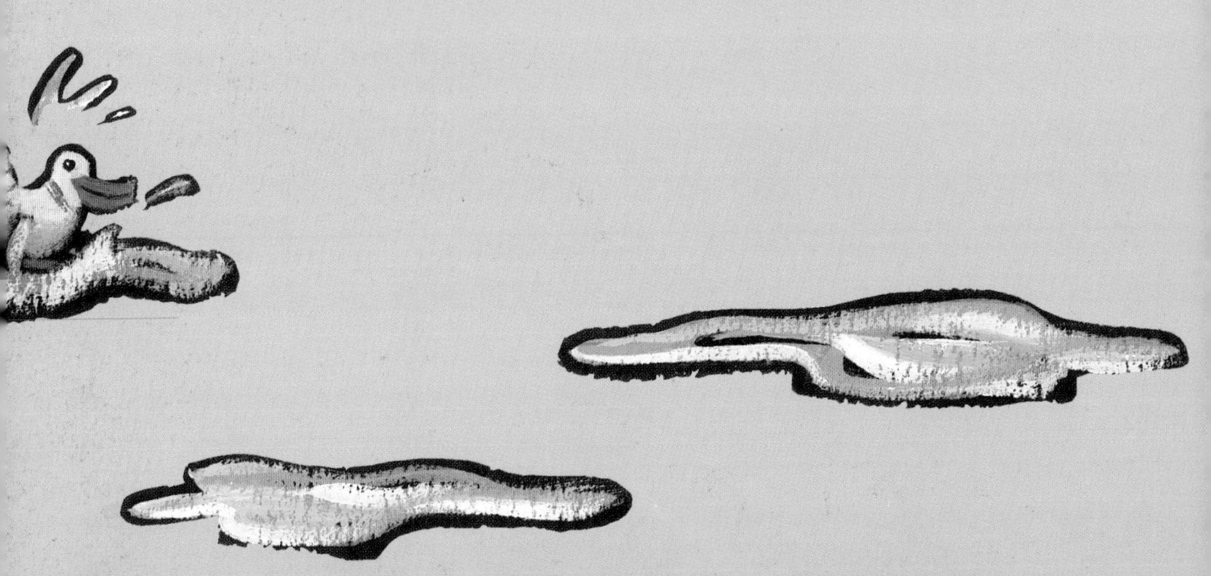

Tá sé tirim anois.
Táimid ag dul go dtí an pháirc le Mamaí.
Thit cúpla braon báistí ar Sive
agus féach mise ag déanamh easa!

Deir Mamaí go bhfuil an sleamhnán ró-fhliuc chun súgradh air.

Ach tá na luascáin ceart go leor, má shuíonn tú ar do hata!

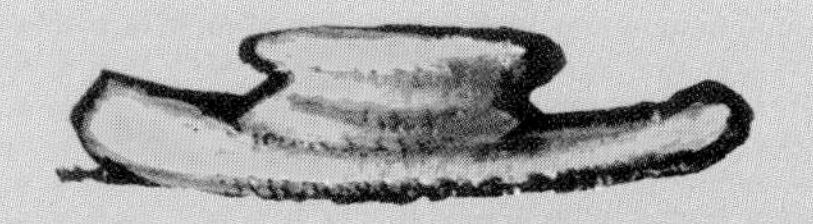

Húííí!
Is breá liom
léimt i loigíní!

**Gach lá fliuch bíonn deoch seacláide te againn.
"Tugann sé croí do dhuine," deir Mamaí.**